D0423947

Nous remercions le ministère du Patrimoine canadien,
la SODEC et le Conseil des Arts du Canada
de l'aide accordée à notre programme de publication
ainsi que le gouvernement du Québec
– Programme de crédit d'impôt
pour l'édition de livres
– Gestion SODEC.

Patrimoine   Canadian
canadien   Heritage

Conseil des Arts   Canada Council
du Canada   for the Arts

Nous reconnaissons l'aide financière
du gouvernement du Canada
par l'entremise du Programme d'aide au développement
de l'industrie de l'édition (PADIÉ) pour ce projet.

Illustrations :
Julie Besançon

Montage de la couverture :
Ariane Baril

Édition électronique :
Infographie DN

DANGER

LE
PHOTOCOPILLAGE
TUE LE LIVRE

ASSOCIATION
NATIONALE
DES ÉDITEURS
DE LIVRES

Membre de l'Association nationale des éditeurs de livres

Dépôt légal : 1er trimestre 2009
Bibliothèque nationale du Canada
Bibliothèque nationale du Québec

1234567890 IML 09

Ma mère souffre
dans sa tête

COLLECTION
PAPILLON

**DE LA MÊME AUTEURE
AUX ÉDITIONS PIERRE TISSEYRE**

Collection Sésame
L'affaire Dafì, roman, 2002.

**Catalogage avant publication
de Bibliothèque et Archives nationales du Québec
et Bibliothèque et Archives Canada**

Muloin, Carole

      Ma mère souffre dans sa tête

      (Collection Papillon ; 151)
      Pour les jeunes de 9 à 12 ans.

      ISBN 978-2-89633-114-7

      I. Besançon, Julie.   II. Titre   III. Collection :
      Collection Papillon (Éditions Pierre Tisseyre) ; 151.

PS8576.U45M2 2009   jC843'.6   C2008-942611-8
PS9576.U45M2 2009

Ma mère souffre dans sa tête

roman

Carole Muloin

ÉDITIONS
PIERRE TISSEYRE
w w w . t i s s e y r e . c a

9300, boul. Henri-Bourassa Ouest, bureau 220
Saint-Laurent (Québec) H4S 1L5
Téléphone : 514-335-0777 – Télécopieur : 514-335-6723
Courriel : info@edtisseyre.ca

1

La colère
de ma mère

Ma mère ne travaille pas depuis deux semaines. Elle est en congé de maladie. Elle passe ses journées au lit. Le directeur de l'école lui a conseillé de se reposer. Pourquoi faut-il se reposer lorsqu'on est en colère? Car ma mère est en colère. Jasmine, sa collègue de travail, lui a pris son beau stylo du Pérou. C'est ce que maman prétend. Elle croit que Jasmine lui vole ses choses.

Mais hier, j'ai trouvé le stylo en question dans la poubelle de la salle de bains. Je ne savais pas quoi faire. Je l'ai caché dans une débarbouillette. Maman est très susceptible ces temps-ci, alors j'ai peur qu'elle se fâche si je lui dis que Jasmine n'a pas volé son crayon puisqu'il est ici. Elle n'accepte pas de faire des erreurs. Elle voudra savoir qui l'a jeté dans la poubelle. Ce n'est pas moi et ce n'est pas non plus ma petite sœur Alice. Si ce n'est pas moi et si ce n'est pas Alice qui l'a mis à la poubelle, il ne reste que maman. Maman ne comprendra pas pourquoi elle a elle-même jeté son stylo et elle se mettra en colère.

Elle a des «absences». Elle oublie tout. Elle est là sans y être. Hier, elle a laissé sa carte interac dans le guichet automatique de la caisse populaire. L'homme qui a retiré de l'argent juste après elle l'a remise à la caissière, car maman avait déjà quitté le guichet. La dame a téléphoné à la maison pour dire à ma mère qu'ils avaient trouvé sa carte. Maman s'est obstinée avec la dame jusqu'à ce qu'elle vérifie dans son sac à main et qu'elle s'aperçoive qu'elle n'avait pas sa carte. Elle affirme que c'est l'homme derrière elle qui la lui a volée. Elle veut porter plainte contre lui.

Si je lui dis que j'ai retrouvé son stylo du Pérou dans la poubelle de la salle de bains, elle accusera Alice. Je ne crois pas qu'Alice soit coupable. Ma sœur n'avait jamais vu le stylo jusqu'à ce que je le lui montre. Je pense plutôt que c'est maman qui l'a jeté sans s'en rendre compte. Je ne veux pas qu'elle dispute Alice. Elle est toujours sur son dos. Quand maman n'est pas en rogne contre ses collègues de travail, c'est contre nous qu'elle l'est. Je suis fatiguée de tout ça.

Hier, à la récréation, Alice est venue me voir. Elle n'arrêtait pas de pleurer. J'essayais de la consoler, mais en vain. Alice ne savait pas pourquoi elle pleurait. Elle était en détresse. Je l'ai serrée dans mes bras jusqu'à ce que la cloche sonne. Je me sentais impuissante. J'aime ma petite sœur et je ne supporte pas qu'elle souffre. Il fallait prendre nos rangs. Alice ne voulait pas que je la quitte. Elle s'accrochait à moi.

Je l'ai accompagnée à sa classe. Béatrice, son enseignante, m'a demandé ce qui se passait. Devant mon silence, Alice a répondu qu'elle avait

mal au ventre. Béatrice l'a conduite au secrétariat. Le directeur voulait appeler à la maison, mais Alice a refusé en sanglotant. Elle ne voulait pas déranger maman, elle ne voulait pas que maman soit fâchée. Notre mère n'aurait pas cru à son mal de ventre. Alice s'est étendue sur le petit lit de l'infirmerie. Elle s'est reposée. Pourquoi faut-il se reposer quand on est triste ou en colère ? J'ai passé le reste de l'avant-midi à penser à Alice. Je n'arrivais plus à travailler. Je devrai terminer mes mathématiques ce soir, en plus des devoirs que j'ai à faire.

Parfois, on dirait que c'est moi la mère de famille. Maman agit comme une enfant et Alice est une enfant. Je n'ai que dix ans, je ne veux pas être une maman. Et moi, c'est qui ma mère ? Qui s'occupera de moi si je dois m'occuper de ma mère ? Papa ? Non, papa travaille beaucoup, il n'a pas le temps. Julie, son amoureuse, vient d'avoir un bébé. Il est de papa. Il y a aussi Nicolas et Justin, eux ne sont pas de papa. Il a déjà trois enfants sur les bras, il ne peut pas s'occuper de moi en plus.

2

J'ai peur
de ma mère

Maman vient de se lever. Elle n'a pas bien dormi. J'ai caché le stylo dans la poche de ma veste. C'est mieux ainsi. Elle ouvre la porte du réfrigérateur. Elle regarde à l'intérieur. Elle ne sait pas quoi nous servir pour souper. Il reste un peu de lasagne. C'est ce que nous avons mangé pour dîner. Je ne dis rien. Alice non plus. Je mets la table en silence. Alice m'aide. Maman ne parle pas. Elle ne parle pas avec nous.

Maman n'est pas bien depuis que papa l'a quittée. Ça fait déjà deux ans, mais elle ne l'accepte pas encore. Elle pleure souvent seule dans sa chambre. Le dimanche, c'est pire. Je déteste les dimanches.

Une semaine sur deux, nous allons chez papa. Ce soir, je lui ai téléphoné et je lui ai parlé des choses étranges que fait maman. Je l'ai surprise à parler toute seule. Elle chicanait quelqu'un d'imaginaire. J'ai fait semblant de ne pas l'entendre, mais j'ai eu peur. C'est terrible d'avoir peur de sa mère.

Quand j'ai appris ça à papa, il a mis son manteau et il est venu en vitesse à la maison. Il a trouvé maman dans un état lamentable. Elle ne voulait pas qu'il l'approche. Elle avait peur de lui. Il a téléphoné à l'hôpital et deux ambulanciers sont venus chercher maman. Les policiers étaient là aussi au cas où maman causerait des problèmes. Il paraît qu'elle s'est débattue. Papa nous avait ordonné d'aller l'attendre dans son automobile. Je n'ai pas vu maman se débattre. Je crois que je serais morte de peine si je l'avais vue. Elle ne voulait pas que les policiers l'embarquent dans l'ambulance, mais papa a insisté.

Maman a besoin d'aide. Son cerveau est déréglé. Elle délire. Elle s'imagine que les gens veulent la tuer. Ce n'est pas vrai, nous l'aimons. Elle a même peur d'Alice.

3

Papa et moi

Nous passons le reste de la semaine chez papa, mais dimanche il part pour Toronto. Il doit parfois aller travailler là-bas et il ne veut pas nous laisser avec Julie, qui a déjà ses trois enfants. Il a téléphoné à tante Sylvie. Elle a accepté de nous garder chez elle la semaine prochaine.

Sylvie, c'est la sœur de maman. Nous l'aimons beaucoup. Elle est comique. Elle a un gros chat qui s'appelle Monsieur Baggle. Il est blanc. Il a les yeux un peu sortis de la tête, mais bon... Monsieur Baggle a un ami qui vient lui rendre visite à l'occasion. Tante Sylvie l'appelle L'Ami.

Sylvie n'a pas d'enfants ni de mari. Elle travaille à l'université. Elle est psychologue. Même si elle s'occupe des gens qui ont des problèmes, elle ne peut rien pour maman. La maladie de ma mère est trop grave. Elle a besoin de prendre des médicaments pour calmer son cerveau. C'est un psychiatre qui la soigne. La semaine prochaine, Sylvie m'amènera la voir à l'hôpital. Alice n'a pas le droit de nous accompagner. Il faut avoir au moins dix ans et elle en a juste six.

Quand nous sommes chez papa, Alice et moi dormons dans la même chambre. C'est Julie qui l'a décorée. J'aurais préféré qu'elle nous demande notre avis, nos idées, mais ce n'est pas tellement grave après tout. L'important, c'est que ce soit notre chambre privée à Alice et moi. Je dis privée, car Nicolas et Justin n'ont pas le droit d'y entrer, même quand nous ne sommes pas là.

Nous dormons dans des lits super-posés. Ma couchette est au deuxième étage. Alice dort en dessous, car elle se lève presque chaque nuit pour aller à la toilette. Elle en profite pour aller voir papa qui la renvoie aussitôt dans sa chambre. Alice a souvent besoin d'être rassurée. Elle est comme ça, c'est tout.

À part les lits, il y a deux grands bureaux en bois dans la chambre. Les couvertures et les rideaux sont bleu et jaune. Nous avons un ordinateur et une petite télé que papa nous donne le droit de regarder jusqu'à vingt-deux heures quinze les vendredis et samedis. Mais la plupart du temps, Alice et moi dormons déjà vers vingt et une heures trente. Papa passe fermer la télé avant d'aller au lit. Parfois, il nous regarde dormir. Du moins, c'est ce qu'il dit.

Ce soir, nous mangeons de la lasagne ! Alice et moi mettons la table pendant que Nicolas et Justin jouent dans le sous-sol et que Julie s'occupe du bébé. Je pense à maman. Je m'ennuie d'elle. Mais j'ai peur qu'elle ait peur de moi quand j'irai la voir la semaine prochaine. Je ne lui veux vraiment aucun mal.

Maman fait de la randonnée en montagne. Elle a beaucoup voyagé, il y a quelques années. Elle est allée marcher sur un site inca qui s'appelle le Machu Picchu. C'est au Pérou. Elle était heureuse à cette époque-là. Je ne sais pas si elle pourra encore voyager.

Je m'assois devant la télévision en attendant l'heure du souper. Alice vient se blottir contre moi. Elle appuie son visage contre ma poitrine. Nous ne disons rien. Nous sommes ensemble et c'est ce qui compte. Papa travaille dans son bureau.

Après le souper, j'aide Alice à faire ses devoirs. Vers vingt heures, je vais la border. Elle m'appelle sa maman. Elle rit. Je m'efforce de sourire. C'est trop de responsabilités pour moi d'être sa maman.

Je retourne regarder la télévision, puis je vais embrasser papa qui travaille encore dans son bureau. Je lui demande :

— Maman va rester longtemps à l'hôpital ?

— Je ne sais pas trop. Elle refuse de prendre ses médicaments pour l'instant. Elle dit que les infirmières veulent l'empoisonner. Elle imagine toutes sortes de choses. Elle se croit en danger.

— Pourquoi ?

— Le psychiatre m'a dit qu'elle fait une paranoïa.

— Qu'est-ce que c'est ?

— Une maladie mentale qui fait que ta maman quitte parfois la réalité. C'est à cause des petits neurotransmetteurs qu'il y a dans notre cerveau. Les siens sont tout déréglés.

— Elle quitte la réalité parce qu'elle trouve notre vie insupportable ?

Papa ne répond pas.

— Elle va guérir ?

— Non. Mais si elle prend bien ses médicaments, elle peut avoir une vie normale.

— Sa vie n'est pas normale depuis que tu n'es plus à la maison.

— Nous avons déjà parlé de tout ça, Marie. Maman et moi, nous ne vivrons plus jamais ensemble. J'aime Julie, tu le sais. Je suis auprès d'elle maintenant. C'est ainsi. Ta mère et moi, ça ne pouvait plus aller…

— Mais si tu voulais essayer, peut-être que maman serait heureuse et qu'elle guérirait.

— Marie, ne dis pas des choses comme ça. Tu te fais de la peine et tu m'en fais aussi. C'est terminé, ta mère et moi. Tu dois l'accepter. On ne peut pas forcer les gens à en aimer d'autres.

— Mais…

— Allez, va au lit, il est assez tard. Tu as besoin de te reposer, tes yeux sont cernés.

Papa se lève. Il ferme son ordinateur et m'accompagne jusqu'à ma chambre. Alice dort. Je mets mon

pyjama et me glisse sous les couvertures. Je ne dors presque pas de la
nuit. Je pense à maman. Je pense à
ma vie. On dirait que je vieillis trop
vite. Je n'ai pas l'âge de penser à
ma vie, je devrais plutôt penser à
m'amuser, mais je n'y arrive pas ces
temps-ci. J'ai l'impression d'avoir des
problèmes de grandes personnes.

4

Monsieur Baggle

Nous sommes vendredi. À l'école, c'est la journée des contrôles. Contrôles des leçons et devoirs. Je n'ai pas fait tous mes devoirs cette semaine. Ce n'est pas toutes les semaines que l'on voit partir notre mère en ambulance, je n'avais pas la tête à ça.

Madame France, mon enseignante, m'a gardée dans la classe à la récréation pour que je fasse mes travaux. Elle pensait peut-être me punir mais au fond, je préférais rester en classe. Jessy y était...

Je n'ai pas envie de m'amuser à la récréation. En plus, les élèves de ma mère viennent me demander pourquoi elle est absente. Je ne leur dis pas qu'elle est à l'hôpital, encore moins qu'elle est alitée dans l'aile psychiatrique. J'ai honte d'avoir honte de la maladie de maman. J'ai peur que les gens pensent qu'elle est folle. Elle n'est pas folle, elle souffre.

France a écrit un mot à mon père pour lui dire que je n'avais pas fait tous mes devoirs cette semaine. Mon père m'a disputée. Il sait pourtant que je vis des choses difficiles. Il a déclaré que ce n'était pas une raison pour négliger mon travail à l'école.

Il a plu toute la fin de semaine. Rien pour remonter le moral. J'ai lu, j'ai écrit, j'ai dessiné. Je suis allée voir un film avec mon amie Émilie. Je ne lui ai pas dit que ma mère a une maladie mentale, même si c'est ma meilleure amie. J'ai peur qu'elle le répète aux autres.

À la fin de la journée, papa est venu nous reconduire chez tante Sylvie. Alice et moi avions chacune notre grosse valise remplie de vêtements. Même si les journées d'automne sont encore chaudes, les soirées, elles, sont froides.

Quand nous sommes arrivés, Monsieur Baggle est allé se cacher dans le sous-sol. Il ne semble pas apprécier notre venue. Il a l'habitude d'être seul et tranquille avec tante Sylvie. Nous avons bousculé son petit train-train quotidien.

Dans la maison de Sylvie, il y a deux chambres à l'étage. Une chambre pour Sylvie et l'autre qui lui sert de bureau. Elle a donc monté sa tente pour nous dans le sous-sol. Les coussins des fauteuils du salon nous serviront de matelas. Alice est tout excitée à l'idée de coucher sous la tente.

Nous prenons une collation tout en discutant avec Sylvie. J'aime bien jaser avec elle. Elle me parle comme si j'étais une adulte. C'est le seul moment où j'aime me sentir comme une adulte. Sylvie ne peut rien faire pour maman, à part lui signifier qu'elle est là si maman a besoin d'elle.

Monsieur Baggle est enfin sorti de sa cachette. Ça sentait la collation... Il a donc mis ses peurs de côté et s'est pointé le bout du museau. Alice en profite pour le flatter pendant qu'il mange les miettes de son biscuit. Sylvie a descendu le panier de Monsieur Baggle et l'a déposé dans la tente entre nos deux sacs de couchage. Alice espère qu'il viendra dormir avec nous durant la nuit. J'en doute. Aussitôt son bedon rassasié, il nous fausse compagnie. Sylvie nous embrasse et monte vaquer à ses occupations.

— J'aimerais bien que Sylvie soit ma maman, laisse échapper Alice.

— Ne dis pas ça, Alice, nous avons déjà une maman.

Il est vingt-trois heures et je ne dors pas encore. Monsieur Baggle est revenu près de la tente, mais il reste à l'entrée. Il me regarde. Je le regarde.

Nous nous regardons. Il ne bouge pas. Je m'avance doucement pour le flatter, il s'enfuit.

Sylvie vient nous réveiller vers sept heures. Nous déjeunons avec elle. Nous devons respecter un horaire pour les douches si nous voulons arriver à temps à nos cours. Elle nous laisse devant l'école à huit heures. Je la regarde partir. J'ai envie de pleurer. Je me sens en détresse. Je suis seule au monde sans maman. C'est comme si je me trouvais tout à coup dans un autre pays avec des gens que je ne connais pas. Je suis au désespoir. Je n'en dis rien à Alice. Elle semble aller bien ce matin.

5

Encore
de la lasagne

Je ne sais pas comment j'ai fait pour traverser la journée dans cet état. Une grande tristesse envahit mon corps et ma tête. Je m'ennuie de papa, je m'ennuie de maman. C'est terrible à vivre.

À quinze heures trente-cinq, Alice me rejoint au secrétariat. Nous nous rendons ensuite au service de garde. Papa nous y a inscrites pour la semaine. Nous mangeons une collation et nous nous séparons. Alice va dans le groupe des six ans, moi je reste à la salle polyvalente avec ceux de mon âge. Nous avons le choix entre jouer à des jeux de société ou faire nos devoirs. Je n'ai pas le cœur à jouer, je fais donc quelques devoirs. Jessy est là. Il me regarde, je souris.

Sylvie vient nous chercher à dix-huit heures. Elle est passée à l'épicerie juste avant pour acheter des lasagnes! Décidément... c'est un plat qui dépanne. Alice me regarde et ne dit rien. Nous ne voulons pas décevoir Sylvie qui a l'air bien heureuse de nous servir ce repas. Il y a du pain chaud, du beurre froid et du jus.

6

Maman
ne va pas bien

Ce soir, Sylvie et moi allons à l'hôpital voir maman, pendant que Bianca, la fille de la voisine, vient garder Alice. Je me sens un peu nerveuse. Pendant que je mets les assiettes dans le lave-vaisselle, Alice se fait couler un bain. Bianca arrive, Sylvie et moi partons.

L'hôpital Pierre-Le Gardeur est situé à quelques minutes de chez Sylvie. Nous stationnons la voiture et entrons. Je suis de plus en plus stressée. Sylvie aussi, je crois. Elle mord sa lèvre et fronce les sourcils comme lorsqu'elle est préoccupée. Nous traversons le long corridor en silence pour nous rendre à l'aile psychiatrique. Une infirmière nous informe du numéro de chambre de maman. Nous longeons la cafétéria. Il y a des patients qui jouent aux cartes, d'autres font des casse-tête, d'autres encore sont assis seuls et regardent dehors. Une dame fixe le plancher, immobile. Je me sens un peu bizarre d'être ici. J'ai un peu peur. J'ai peur des gens qui parlent tout seul comme maman l'a fait avant que papa la fasse hospitaliser. Je suis inquiète. C'est normal, je ne comprends pas vraiment ce qui se passe dans leur tête. Peut-être qu'ils sont dangereux. Peut-être pas.

Nous passons devant une salle où il y a un téléviseur. Deux patients regardent un film. Ils sont déjà en pyjama. Ils ont l'air de rigoler. Sylvie me sourit. Ça me rassure.

Chambre A123. Maman est là. Elle est étendue sur son lit. Je m'approche d'elle, un peu craintive. Elle lève la tête et me fait un câlin. Elle embrasse Sylvie. Elle est contente de nous voir. Elle a l'air bien. Sylvie lui a apporté des framboises et des bleuets, ses fruits préférés. Maman nous fait visiter l'aile, puis nous revenons dans sa chambre.

— Vas-tu bientôt rentrer à la maison, maman ?

— Je ne sais pas. Je vois le psychiatre tous les jours. Je discute avec lui et c'est lui qui va décider quand j'irai assez bien pour sortir de l'hôpital.

— J'ai dit à tes élèves que tu étais à l'hôpital parce que tu avais mal au ventre.

— Tu as bien fait, Marie. Je leur expliquerai tout quand je serai de retour en classe. Alice va bien ?

— Oui, elle va te téléphoner demain, si tu veux.

— Bien sûr.

— J'ai quelque chose pour toi, maman.

Je sors le stylo du Pérou de ma poche. Maman se redresse d'un bond sur sa chaise.

— Où as-tu trouvé ça? crie-t-elle.

— Dans la poubelle de la salle de bains, dis-je en me reculant.

J'ai peur qu'elle me frappe tellement elle est hors d'elle.

— Non! C'est Jasmine qui me l'a volé!

— Mais non, maman, il était...

Sylvie me fait signe de sortir de la chambre. Elle essaie de calmer maman. Un infirmier passe et vient lui porter secours.

— Calmez-vous, madame, calmez-vous. Que se passe-t-il?

— Sortez d'ici, je ne veux plus voir personne !

Sylvie prend la main de maman et lui explique doucement que j'ai trouvé le crayon dans la poubelle et que je n'y suis pour rien.

— Tu l'as peut-être jeté sans t'en apercevoir. C'est peut-être par distraction que...

— Laissez-moi tranquille.

L'infirmier fait signe à Sylvie de sortir. Nous attendons près de la porte de la chambre. Je pleure. Sylvie me serre dans ses bras. Elle a les yeux remplis de larmes, elle aussi.

Après quelques minutes, l'infirmier nous rejoint.

— Il ne faut pas lui en vouloir, elle ne va pas encore très bien. Il faut lui laisser le temps de se reposer. J'informerai le psychiatre de l'incident demain matin. Il ajustera peut-être sa médication.

— Peut-on l'embrasser avant de partir ? demande Sylvie, la gorge serrée.

— Je ne sais pas si...

Sylvie n'attend pas la réponse et entre dans la chambre. Elle serre maman dans ses bras et lui dit que nous l'aimons et que nous reviendrons la voir si elle le désire. Maman ne répond rien. Elle pleure. Je reste près de la porte de la chambre.

— Viens embrasser ta mère, me lance Sylvie.

Je m'avance timidement. Maman ne bouge pas. Je lui fais un câlin et sors de la chambre. Sylvie me prend la main.

— Il serait préférable qu'Alice ne sache pas ce qui s'est passé, qu'en penses-tu?

Silence. Je veux sortir de l'hôpital au plus vite. Nous embarquons dans l'auto pour nous retrouver quelques minutes plus tard chez Sylvie. Alice joue aux cartes avec la gardienne. Elle rit car Bianca fait semblant de tricher.

— Comment va maman? demande Alice en s'assoyant sur les genoux de Sylvie.

— Elle est fatiguée.

— Je vais lui téléphoner demain, dit Alice.

— Ce serait mieux d'attendre encore quelques jours, tu sais.

— Je m'ennuie d'elle.

— Je comprends, mais ta maman ne va pas si bien que ça pour l'instant.

Alice me dévisage. Je baisse les yeux.

— Qu'est-ce que vous avez, toutes les deux ? questionne Alice.

— Nous sommes un peu tristes, c'est tout.

— Je te dois combien pour le gardiennage, Bianca ? enchaîne Sylvie, pour changer de sujet.

— Ce n'est rien, répond Bianca. Je me suis bien amusée avec Alice et il n'est que vingt heures quinze, alors… ce n'est rien.

— Je te remercie.

Bianca embrasse Alice, met son manteau et nous quitte.

— Tu as passé du bon temps avec Bianca ?

— Oui.

— Il est maintenant l'heure d'aller au lit. Ou plutôt au sac de couchage!

— Marie vient aussi?

— Pas tout de suite, Alice. J'irai te rejoindre dans une trentaine de minutes.

— Ce n'est pas juste! ronchonne la fillette.

— Quand tu auras dix ans...

— Allez hop! dit Sylvie, en prenant Alice dans ses bras.

Pendant que tante Sylvie borde Alice, je vais prendre un bain. J'apporte mes mots de vocabulaire que je révise en me savonnant, car il y a une dictée demain. Je regarde ensuite un peu la télé avec Sylvie et je vais me coucher. Quand j'entre dans la tente, Alice lève la tête. Elle ne dort pas, elle est trop soucieuse.

— Que s'est-il passé à l'hôpital, Marie? Dis-moi la vérité.

— Maman ne va pas bien.

Je ne suis plus capable de garder le secret. Elle se blottit dans mes bras et nous pleurons ensemble.

7

Suis-je amoureuse de Jessy ?

Aujourd'hui, nous sommes le jour 1 à l'école. C'est la période de bibliothèque. Je me promène entre les allées de livres. Je ne sais pas lequel choisir. Je feuillette les Carnets de route de Tintin : le Tibet, le Pérou. J'aimerais voyager plus tard, quand je le pourrai. C'est maman qui m'a transmis son goût de l'aventure. Elle a visité l'Égypte, le Pérou, l'Autriche, l'Espagne, la France, le Venezuela, l'Ouest canadien.

Parfois, je vais m'asseoir près de sa grosse boîte de photos dans sa garde-robe et je les regarde une par une. Je rêve que je suis avec elle dans tous ces beaux coins du monde. Elle a toujours l'air heureuse sur ses photos. Peut-être parce qu'elle se sent libre loin de nous...

Je chasse cette pensée de ma tête. Maman nous aime, je le sais. Même si elle ne nous le dit jamais, elle doit nous aimer très fort.

La bibliothécaire scolaire m'informe que je dois choisir un livre afin qu'elle puisse l'enregistrer dans son programme informatique. J'opte enfin pour un album documentaire sur l'Égypte. Je vais l'apporter à maman quand j'irai la voir à l'hôpital, ça lui fera plaisir.

Je regagne ma place et m'installe pour lire. Il reste encore une vingtaine de minutes avant la fin de la période à la bibliothèque. Jessy vient s'asseoir devant moi. Jessy, c'est le plus beau garçon de la classe. Il a des cheveux blonds bouclés. Il me sourit. J'arrête tout à coup de respirer. Je ne sais pas pourquoi, je baisse aussitôt les yeux et fais semblant de ne pas le voir. Je me sens mal à l'aise, gênée.

Il cogne doucement sur la table pour attirer mon attention. Je fais semblant de lire. Il cogne de nouveau. Il me montre le livre qu'il a choisi. Un livre sur l'Égypte. Lui aussi... Nous nous regardons et pouffons de rire. Madame France passe près de nous. Mes joues sont chaudes. Jessy veut peut-être, comme moi, aller en Égypte un jour. Me voilà perdue dans mes pensées. Et si nous y allions ensemble... Je me plais à rêver pendant quelques minutes à Jessy et moi, dans le désert, près de la grande pyramide de Gizeh, assis tous les deux sur le dos d'un chameau, ses mains autour de ma taille...

La période de bibliothèque est terminée. Je pousse ma chaise. Jessy me sourit encore. J'ai peur. Pourquoi?

J'ai peur qu'il m'aime. Je n'ai pas confiance en moi. Je ne sais jamais quoi lui dire. Quand il me parle,

je réponds des bêtises. Il reste parfois figé. Je fais la fille indifférente alors qu'il me bouleverse. Toutes les filles lui courent après, elles sont comme des abeilles autour d'un pot de miel. Pourquoi ne choisit-il pas une petite amie parmi toutes celles-là ? Je ne lui ai rien demandé, moi.

Je prends mon rang avec les autres. Jessy me suit. Nous montons à l'étage jusqu'à nos casiers. C'est l'heure du dîner. Je prends ma boîte à lunch et je me rends au service de garde pour donner ma présence.

— Tu t'intéresses aux pyramides, toi aussi ?

Ma gorge se serre. J'ai envie de lui dire une stupidité, du genre : « Bien oui, j'ai le droit ! » Pourquoi suis-je bête avec lui ? Il est pourtant plutôt gentil. C'est une maladie ou quoi ? C'est juste avec lui que je me sens comme ça : bête et arrogante.

— Oui.

J'avance plus vite. Il me suit toujours.

— Hé ! Tu as peur de moi ou quoi ?

Attention à la réplique, Marie. Ne sois pas bête, je t'en prie… Ne lui lance pas un « Va te faire voir ailleurs »…

— Je suis pressée, c'est tout.

— Pressée pour aller où ?

Je bégaie.

— Dî… dîner !

— Mais nous reprenons les cours seulement à treize heures, pas besoin de se presser.

— J'ai faim.

— Ça alors…

Mes oreilles bourdonnent. Je rougis. Il me met dans tous mes états. Je veux qu'il me laisse tranquille. Je n'en peux plus, j'éclate :

— J'ai le droit d'avoir faim ! De quoi tu te mêles ?

Ça y est… j'ai tout gâché. C'était la réplique à ne pas dire. Jessy s'arrête, me regarde en silence. Il est aussi surpris que moi… Je cours jusqu'à ma table. Émilie est là. Je commence à discuter avec elle de tout et de rien. Je ne lève pas les yeux vers Jessy, qui est encore figé sur place.

Au bout de quelques minutes, je me sens triste.

— Qu'est-ce que tu as, Marie? me demande Émilie.

— J'ai encore été désagréable avec Jessy. Mais c'est sa faute, il ne me laisse pas tranquille.

— Il a été méchant avec toi?

— Non.

— Pourquoi as-tu réagi comme ça?

— Je ne sais pas.

L'après-midi passe. À quinze heures trente, je me rends de nouveau au service de garde. Alice me rejoint. Elle me raconte sa journée, puis retourne dans son groupe d'âge.

Jessy est là. Il me fixe. Je ne suis pas à vendre.

Pourquoi me fait-il cet effet-là? Pourquoi je ne veux pas qu'il me regarde? Ai-je honte de moi? J'ai envie de pleurer. Je m'ennuie de maman.

8

Demain,
c'est l'Halloween

Tante Sylvie vient nous chercher vers dix-huit heures. Il fait noir dehors. Les gens ont allumé leurs décorations d'Halloween. Nous soupons tout en discutant avec Sylvie. Je lave la vaisselle, Alice l'essuie.

Après avoir fait nos devoirs, nous nous installons sur la table de la cuisine pour préparer des sacs d'Halloween. C'est demain, le 31 octobre. Dans chaque sac, nous mettons un suçon, deux « klondakes », trois petits chocolats, une gomme à mâcher et une bague en plastique noir.

Alice passera l'Halloween demain avec son amie Maude et la mère de celle-ci. Elle sera déguisée en pirate. Moi, je resterai avec tante Sylvie. Nous distribuerons les friandises aux enfants.

Sylvie a téléphoné à maman aujourd'hui. Ma mère entend des voix. Ils appellent ça des hallucinations auditives. C'est dans son imagination. Elle ne les entend pas pour vrai, mais elle, elle est convaincue que ces voix sont réelles. Son cerveau est vraiment déréglé. Le psychiatre a augmenté sa médication. Je m'inquiète pour elle. Et si elle ne redevenait plus jamais comme avant ?

Maman nous a souhaité un joyeux Halloween pour demain. C'est la première fois que nous ne serons pas réunies toutes les trois pour cette fête.

Je rejoins Alice dans la tente vers vingt et une heures trente.

— Tu ne dors pas ?

— Je n'y arrive pas. Je suis trop excitée. J'ai hâte de passer l'Halloween.

Après l'avoir embrassée, je m'étends près d'elle. Monsieur Baggle est couché dans son sac de couchage. Alice pouffe de rire. Je comprends qu'il n'y a pas que l'Halloween qui l'excite et l'empêche de dormir...

— Monsieur Baggle sera déguisé lui aussi, demain. Tante Sylvie a acheté du maquillage et elle lui noircira tout le tour d'un œil. Il va être comique.

— Dors, maintenant, Alice !

9

31 octobre

À l'école, nous avons travaillé fort tout l'avant-midi et cet après-midi, c'est la fête. Je suis déguisée en vieux monsieur. J'ai mis un habit et les souliers de grand-papa, ses vieilles lunettes et une perruque grise. Sylvie a dessiné une moustache et des rides sur mon visage avec du maquillage.

Les élèves de la classe de madame Chantal viennent fêter l'Halloween dans notre classe. Nous avons fermé les lumières et les avons invités à visiter notre classe hantée. Il y a des toiles d'araignée accrochées un peu partout, des monstres collés sur les stores, des squelettes pendus au plafond. Émilie a apporté son disque de bruits de maisons hantées. Les parents de Kim nous ont envoyé des petits gâteaux au chocolat avec des vers de terre en guimauve dessus, du jus de sorcière et des bonbons.

Comme les élèves de madame Chantal ont fait le tour de notre classe, nous pouvons maintenant nous diriger vers l'atelier de notre choix. Il y a un coin maquillage, un coin pour danser, un coin pour jouer à des jeux de société et un coin pour dessiner et colorier.

Jessy joue à Twister avec trois de ses amis. Moi, je dessine des sorcières, les découpe et les place dans les pupitres de mes meilleures amies. Après, je décide d'aller danser. Jessy me rejoint. Il se place devant moi et sourit. Je ne sais pas pourquoi, c'est plus fort que moi, je lui tourne le dos. Je n'aime pas qu'il me regarde danser. C'est comme si j'avais honte de moi lorsqu'il est là.

À la fin de l'après-midi, je retourne au service de garde. Tante Sylvie vient nous chercher un peu plus tôt que d'habitude. Alice soupe en vitesse et se costume. Maude et sa mère arrivent bientôt : elles vont passer l'Halloween avec ma sœur. Dans la rue, il y a déjà plusieurs enfants déguisés qui passent de maison en maison. Quand on

sonne à la porte, tante Sylvie et moi nous précipitons pour répondre. Pendant que je leur donne des bonbons, Sylvie discute avec les enfants et les complimente pour leurs beaux costumes. Je suis bien avec elle.

Quand personne ne sonne à la porte, je m'installe devant la télé pour regarder mes émissions préférées. Je n'ai pas d'énergie ce soir, je me sens fatiguée. J'ai téléphoné à maman, elle ne semble pas aller mieux. Son moral est à zéro, elle ne sortira pas de l'hôpital avant deux ou trois semaines minimum. Les voix en elle ont cependant cessé de la harceler.

À vingt heures pile, Alice revient à la maison. Elle a ramassé un tas de bonbons. Elle vide son sac sur la table et nous trions les friandises que nous aimons. Sylvie prend tous les « klondakes ».

Je me couche tôt.

10

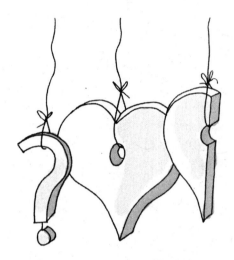

Je me sens
malheureuse

J'évite Jessy. Plus je l'évite et plus
il me suit. Il ne comprend pas que je
ne me considère pas assez bien pour
lui. Je n'ai rien d'intéressant à lui dire.
Pourtant, avec les autres garçons, je
suis à l'aise. Est-ce que j'aime Jessy ?
Est-ce que c'est ça l'amour ? Maman
souffre beaucoup à cause de l'amour.
Je ne veux pas être comme elle.

Maman me critique souvent quand elle est à la maison. Elle ne me complimente jamais, elle ne me dit jamais qu'elle m'aime. J'ai beau l'aider à faire son ménage, à faire les commissions, elle ne me remercie jamais. J'ai toujours l'impression que je n'en fais pas assez pour elle. On dirait que tout ça m'a enlevé le goût de rire, de m'amuser, de magasiner, d'aller au cinéma. On dirait que j'ai perdu mon goût de vivre. Qu'est-ce qui m'arrive ?

Maman va mieux

Maman va mieux. Sylvie et moi allons la voir ce soir. Nous traversons de nouveau le long corridor de l'hôpital, la cafétéria et le couloir qui mène aux chambres. A123. Maman est là. Elle m'embrasse tendrement. Maman m'aime...

Elle nous raconte ce qu'elle fait de ses journées. Elle dort beaucoup, elle pense, elle lit. Elle a enfin du temps pour elle. Elle a commencé à écrire un livre sur sa vie. Elle le fait pour Alice et moi. Elle dit qu'elle veut que nous comprenions ce qu'elle a vécu et ce qu'elle vit lorsqu'elle sort de la réalité.

Elle s'est excusée auprès de moi pour l'histoire du stylo du Pérou. Elle se sent très mal à l'aise à l'idée d'avoir accusé Jasmine de le lui avoir volé. Je pense que Jasmine comprendra si maman lui explique.

Maman s'est fait une nouvelle amie. Elle s'appelle Suzanne. C'est une patiente, elle aussi. Elle passe beaucoup de temps avec maman. Elle a un cheval dans une écurie de Mascouche et maman ira faire de l'équitation avec elle, lorsqu'elle sortira de l'hôpital.

Je suis contente, maman va mieux. Elle reprend goût à la vie. On dirait que moi aussi.

12

Je vais mieux

Nous passons la fin de semaine chez papa. Je m'occupe du bébé pendant qu'Alice s'amuse avec Nicolas et Justin. Papa retourne travailler à Toronto lundi et tante Sylvie a offert de nous garder encore la semaine prochaine.

Je me sens mieux depuis que j'ai revu maman. Elle va bien et ça me rassure. Cet avant-midi, je suis allée au parc avec Émilie. Jessy et ses amis étaient là. J'étais un peu gênée face à Jessy, mais il a fait comme si rien de fâcheux ne s'était passé entre nous la semaine dernière. Nous avons joué au ballon-chasseur. Je suis très forte à ce jeu.

Dimanche, nous sommes allées au cinéma avec Julie, papa, Justin et Nicolas. La mère de Julie a gardé le bébé. Nous sommes ensuite tous allés souper au restaurant, puis papa nous a reconduites chez tante Sylvie.

Monsieur Baggle était content de nous voir, ou du moins, il n'est pas allé se cacher en nous apercevant. Quand Sylvie a lavé son œil au beurre noir, il paraît qu'il n'a pas apprécié du tout.

Je suis contente de dormir chez Sylvie. Comme Alice se couche plus tôt que moi, je suis restée seule avec ma tante et je lui ai parlé de Jessy.

Elle m'a écoutée en souriant. Ça m'a fait du bien.

Cette nuit, j'ai rêvé que papa et maman étaient de nouveau amoureux. Nous étions très heureux ensemble, plus que dans la réalité, car dans la réalité, il y a Julie... J'aimerais bien que maman rencontre un homme.

13

Maman
est de retour

Les arbres ont tous perdu leurs feuilles. L'hiver s'annonce. Maman sort de l'hôpital aujourd'hui. Sylvie et moi allons la chercher. Elle est fatiguée, mais elle va mieux. Plusieurs patients viennent la saluer avant son départ. Elle note quelques numéros de téléphone. Suzanne la serre dans ses bras. Je suis contente que maman se soit fait des amies, elle se sentira moins seule. Sylvie apporte sa valise et moi le sac qui contient des cahiers où elle a écrit des choses sur sa vie.

Nous soupons chez Sylvie puis maman nous ramène, Alice et moi, à la maison. J'avais hâte de coucher dans ma chambre. Je défais ma valise et m'étends sur mon lit. C'est bon de se retrouver chez soi.

Samedi matin. Je vais rejoindre maman dans son lit. C'est la première fois que je fais ça. Elle est surprise. Elle me lit des choses qu'elle a écrites durant son séjour à l'hôpital. L'histoire commence dans son enfance. Maman court dans un champ de maïs. Elle est paniquée parce qu'elle ne trouve plus son père. Ses cris alarment grand-père qui la rejoint après plusieurs minutes. Des minutes « interminables », souligne maman.

Je n'aime pas ressentir la détresse de ma mère, car je ne peux rien faire pour elle. Maman dit que ça lui fait du bien d'écrire ses souvenirs. Elle dit

que c'est comme s'ils sortaient d'elle lorsqu'ils sont sur le papier. Ça me donne envie de faire pareil.

Je passe le reste de l'avant-midi à noter des moments de détresse que je vis. Contrairement à maman, ça ne me soulage pas. On dirait que ça m'enfonce dans mes problèmes. Je téléphone alors à tante Sylvie. Elle m'écoute et ça, ça me fait du bien. J'invite Alice à en faire autant. Elle me raconte alors ses souvenirs malheureux et je l'écoute comme Sylvie fait avec moi. Je me sens plus près d'elle quand nous parlons des choses que nous vivons à l'intérieur de nous. Je suis contente qu'Alice soit ma sœur. Nous nous entendons bien.

Fin décembre

Sylvie nous a reçues chez elle la veille de Noël. Maman ne nous a pas fait de cadeaux, car elle était trop fatiguée pour aller magasiner. Elle nous a donné de l'argent, à Alice et moi. Alice veut acheter des jeux de société et une peluche, moi des vêtements et un CD.

Maman ne retournera pas enseigner avant septembre prochain. Elle prendra le reste de l'année scolaire pour se reposer. Ses collègues de travail ont su que maman avait été hospitalisée. Ils lui ont envoyé un gros bouquet de fleurs : des oiseaux du paradis.

Le 25 décembre, nous sommes allées souper chez papa. Julie avait préparé un bon repas. Pas de lasagne au menu ! Papa nous a acheté des skis. Nous irons en faire demain avec lui.

Le 28 décembre, Émilie a organisé un *party* chez elle, dans le sous-sol de sa maison. Nous avons dansé toute la soirée. Nous étions une dizaine d'amis réunis.

Jessy était là. Je lui ai dit que je me sentais gênée quand je suis avec lui. Nous avons pouffé de rire tous les deux. Il m'a invitée à danser. J'ai accepté.

À présent c'est très clair : je suis amoureuse de Jessy.

Table des matières

Carole Muloin

Aventurière dans sa tête et dans la vie,
Carole Muloin a deux grandes passions :
l'écriture et les montagnes.

Qu'elle soit chez elle ou sur le sommet d'un mont, elle a toujours à sa portée
du papier et des crayons. Elle exprime
ainsi ses sentiments, note des moments
importants ou invente des histoires pour
enfants.

Après *L'affaire Dafi, Maman souffre
dans sa tête* est son deuxième roman à
paraître aux Éditions Pierre Tisseyre.

Derniers titres parus dans la
Collection Papillon

Illustration : Gabrielle Grimard

Ce livre a été imprimé
sur du papier enviro 100 % recyclé.

Nombre d'arbres sauvés : 2

Ensemble, tournons la page sur le gaspillage.